FRANZ LISZT

FESTKLÄNGE
FESTIVAL SOUNDS

Sinfonische Dichtung Nr. 7
Symphonic Poem No. 7

Ernst Eulenburg Ltd

London · Mainz · Madrid · New York · Paris · Prague · Tokyo · Toronto · Zürich

CONTENTS

Ernst Eulenburg Ltd
48 Great Marlborough Street
London W1F 7BB

PREFACE

Festklänge was written in 1853 to celebrate Liszt's intended marriage to Princess Sayn-Wittgenstein, which in the end never took place. The music was revised after rehearsal experience, and the first performance took place on 9 November 1854 at the Court Theatre in Weimar under Liszt. The score was published in 1856: in 1861 Liszt composed and published some 'Variants' to the work which have been reproduced at the end of this score. The MSS are in the Goethe-Schiller Archiv in Weimar. Liszt provided no preface.

The music begins with fanfare-like figures for timpani and woodwind, joined in b16 by the full orchestra. After a repetition of this passage in D instead of C a more reflective mood sets in at b47, but the festive mood returns in b63, and a second main theme appears in b71. Another slower section begins in b116, followed by a further *Allegro* in b140 and an *Allegro mosso con brio* in b186: in the Variants this whole section (bb116–207) is replaced by a passage in polonaise rhythm, reflecting the Princes's Polish origins. In the original version the music had already gone into polonaise rhythm at b208, and this continues until the return of the opening 4/4 theme in b231. The music now recapitulates the opening material, with the second main theme reappearing in b269, and again *ff* in an *Andante sostenuto* in b307. The mood then becomes quieter until the *Allegro mosso* in b363: at b397 there is another *Allegretto*, and the whole passage up to b487 is similar to bb116–207. (Liszt also replaces this passage by one in polonaise rhythm in the Variants.) In the original score the 3/4 rhythm returns in b488: the first two themes recur in bb312 and 323, and the tempo then accelerates to an *Allegro mosso con brio*. The work ends with a stretto based on the opening theme.

Variants
I. After the Fermata, page 20, b5, the Polonaise rhythm (3/4 time) enters at letter D, page 99.
II. To shorten from page 41, b1, to page 87, b4, the 4 bars, page 116, serve as a link.
III. After the fermata page 68, b3, the Polonaise rhythm re-enters with letter N, page 118.
IV. Instead of the first bar, page 93 (Continuation of letter T) the entrance of the *fff* may be delayed by the 10 bars on page 135.
Liszt explained that the second cut was 'to shorten'; the others by implication were to improve. He pointed out that the first and third replacements begin after fermata (bars 115 and 396 respectively), and that the return to the original score (*Allegretto*), requires no change of tempo.

Humphrey Searle

VORWORT

Liszt schrieb *Festklänge* im Jahre 1853 zur Feier seiner beabsichtigten Heirat mit Prinzessin Sayn-Wittgenstein, die jedoch nicht stattfand. Auf Grund der bei den Proben gesammelten Erfahrung revidierte Liszt das Werk, das am 9. November 1854 unter seiner Leitung im Weimarer Hoftheater uraufgeführt wurde. Die Partitur wurde 1856 veröffentlicht. Im Jahre 1861 schrieb und veröffentlichte Liszt eine Anzahl „Varianten" für das Werk, die am Ende der vorliegenden Partitur wiedergegeben werden. Die Manuskripte befinden sich im Weimarer Goethe-Schiller Archiv. Liszt hat für dieses Werk keine Einführung geschrieben.

Die Musik beginnt mit einer fanfarenartigen Figur für Pauken und Holzbläser, zu der sich in T. 16 das ganze Orchester gesellt. Nach einer Wiederholung dieser Passage in D-, und nicht in C-Dur, wird, in T. 47, die Stimmung beschaulicher; doch die festliche Stimmung kehrt schon in T. 63 wieder, und ein zweites Hauptthema tritt in T. 71 auf. Ein weiterer langsamerer Abschnitt beginnt T. 116. In T. 140 folgt wieder ein Allegro, und in T. 186 ein Allegro con brio. In den Varianten steht anstelle dieses ganzen Abschnitts (T. 116–207) eine Passage im Rhythmus der Polonaise, die eine Anspielung auf die polnische Abstammung der Prinzessin bedeutet. In der Originalfassung beginnt der Rhythmus der Polonaise bereits in T. 208 und wird fortgesetzt, bis das Anfangsthema im 4/4-Takt in T. 231 wieder auftaucht. Es folgt nun eine Reprise des am Anfang gehörten Materials, und das zweite Hauptthema taucht erneut in T. 269 und dann noch einmal im Fortissimo in einem Andante sostenuto in T. 307 auf. Bis zum Allegro mosso in T. 363 wird die Stimmung ruhiger. Ein weiteres Allegretto folgt in T. 397; der ganze Abschnitt bis T. 487 ist den Takten 116–207 ähnlich. (Auch anstelle dieser Passage setzt Liszt in den Varianten eine im Rhythmus der Polonaise.) In der Originalpartitur kehrt der 3/4-Takt in T. 488 wieder. Die ersten beiden Themen tauchen wieder in T. 512 und 525 auf, und das Tempo wird dann beschleunigt, bis ein Allegro mosso con brio erreicht ist. Das Werk schließt mit einer Stretto-Passage über das Anfangsthema.

Varianten
I. Nach der Fermate auf Seite 20, Takt 5, tritt der Polonaisen-Rhythmus (3/4-Takt) mit Buchstabe D ein, S. 99.
II. Zur Kürzung von Seite 41, Takt 1, bis zu Seite 87, Takt 4, dienen die 4 Verbindungstakte (Fortsetzung des Buchstaben G zur Fortsetzung des Buchstaben R) auf Seite 116.
III. Nach der Fermate auf Seite 68, Takt 3, tritt der Polonaisen-Rhythmus mit Buchstabe N ein, S. 118.
IV. Anstatt des ersten Taktes Seite 93 der Partitur (Fortsetzung des Buchstaben T) sollen vor dem Eintritt des *fff* die Takte der Seite 135 eingeschoben werden.
Liszt hat dazu die Erklärung gegeben, dass der zweite Strich „zum Kürzen" gedacht war; die anderen Striche verstehen sich daher stillschweigend als Verbesserungen. Er wies auch darauf hin, dass die erste und dritte Variante nach den Fermaten beginnen sollen (T. 115 und, beziehungsweise, T. 396), und dass für die Wiederaufnahme der Originalpartitur (Allegretto) keine Änderung des Tempos nötig wäre.

Humphrey Searle
Übersetzung: Stefan de Haan

FESTKLÄNGE

Franz Liszt
(1811–1886)

EE 3663

Der Buchstabe R.... bedeutet ein geringes Ritardando, so zu sagen: ein leises crescendo des Rhythmus.
The letter R.... signifies a slight Ritardando, that is to say: a soft crescendo of the rhythm.

ff
(II ff)
(ff)
sf

A
Muta in D.
Muta in D.
p
crescendo

crescendo
crescendo
crescendo
crescendo
crescendo
crescendo
crescendo
crescendo
crescendo

R
a 2.
in D.
(II. ff)

ff
(in D.)
(ff)
sf
sf

Andante sostenuto.
(Die Viertel wie früher die Halben.)
come
Muta in F.
Muta in F.
Muta in C.
Muta in C.

sostenuto
mf
sostenuto
mf
mf
sostenuto
mf espressivo
div.
mf sostenuto

(p) dolce
Solo.
dolce espressivo
(p) dolce
(p) dolce
Solo.
p dolce
div.
(p) pizz.
Solo.
(mf) dolce espressivo
pizz.
(p)

crescendo
crescendo
crescendo
Solo.
p

Tempo I, Allegro mosso con brio.
a 2.
ff
in F.
in C.
f
Tutti.
arco
5

a 2.
a 2.
B
sempre ff
sempre ff
(IV. ff)
f
tr
f

pizz.
ff
sempre ff
pizz.
ff
sempre ff
sempre ff

ff
ff
ff
arco
ff
arco
ff

pizz.
ff
pizz.
ff

a 2.
ff
a 2.
a 2.
arco
ff
arco
ff

a 2.
a 2.
ff
fff
p
f

a 2.
C
a 2.
a 2.
ff
ff
ff
Muta C in H, G in Fis.
crescendo
ff
sempre ff
sempre ff
sempre ff
sempre ff
C
sempre ff

a 2.
a 2.
f
f
f

a 2.
Muta in G.
Muta in G.
div.
div.

D Allegretto. (Tempo rubato.)
in G.
espressivo
dimin.
pizz.
Solo
(mf) espressivo
Tutti
Vcl.

a 2.
p espressivo
Solo.
(mf) espr.
p espressivo
p espressivo
pizz.
p
arco
mf
pizz.
p
pizz.
p
arco
mf
pizz.
p
pizz.
p
arco
mf
pizz.
p
pizz.
arco
mf
pizz.
p
pizz.
arco
mf
pizz.
p

a 2.
a 2.
dolce
poco crescendo
pizz.
(p)

Allegro non troppo.
poco rallentando
(mf)
diminuendo
espressivo
poco a poco rall.
(mf)
p
p
arco
p
dolce con grazia
arco
p
arco
(p) con grazia
p

(p)espr.
(p)espressivo
poco crescendo
espressivo
espressivo
poco crescendo
pizz.
(p)

allegramente
p.
E
diminuendo
diminuendo
diminuendo
diminuendo
pp
diminuendo
diminuendo
diminuendo

Un poco animato il tempo.

p
(p) dolce
p
p
dolce
arco
p

(p) diminuendo
diminuendo
diminuendo
p
p
p
con grazia
p
diminuendo
(p)
(p)

accelerando
p
poco a poco crescendo
poco a poco crescendo
poco a poco crescendo
poco a poco crescendo
poco a poco crescendo
poco a poco crescendo
pizz.
(p)

(mf)
crescendo
Allegro mosso con brio.
f
(f)

a 2.
in G.
in G.
arco

a 2.

a 2.
F

a 2.
(f)
a 2.
(f)
(f)
f
rinf.
rinf.
rinf.
rinf.

Allegretto. 𝅗𝅥 = ♩ (Die Viertel wie früher die Halben.)
(♩ come 𝅗𝅥)
a 2.
ff
sf
tr
ten.
div.

a 2.
sf
staccato
mf brillante
pizz.
mf
f

a 2.
f
f
rinf.
rinf.
tr
tr
arco
arco
pizz.
pizz.
arco
pizz.

a 2.
G
a 2.
ff
marcato
a 2.
f marcato
a 2.
f marcato
f
f marcato
f marcato

rinf.
rinf.
arco
arco
tr
tr
tr
rinf.
arco
rinf.
ff
ff
ff
ff
ff

ff
ff
ff
a 2.
a 2.
a 2.
a 2.
(II. f)
(Tuba f)
rinf.
rinf.
rinf.
rinf.

a 2.
a 2.
a 2.
a 2.
rinf.
rinf.

Tempo I, Allegro mosso con brio. (Die Halben wie früher die Viertel.)
(𝅗𝅥 come 𝅘𝅥)
a 2.
mf
cresc.
Muta in D.
pizz.
p
arco

R
a 2.
ff
ff
ff
Muta in A.
a 2.
ff
a 2.
a 2.
(ff)
(ff>)
(II. ff)

ff
tr
arco
ff
ff
arco
ff
arco
ff
ff
sf
sf

a 2.
a 2.
div.
div.
sf
sf

H
in A.
mf
Muta in F.
Muta in F.
pizz.
p
pizz.
p
6
mf

R
a 2.
ff
crescendo
arco
tr

a 2.
in F.
in F.
(III. ff)
ff

div.
sf

I
Muta in D.
ff
ff
ff
ff
ff

f
f
a 2.
ff e marcato
in F. a 2.
ff e marcato
ff e staccato sempre
ff e staccato sempre
ff e staccato sempre
ff e staccato sempre
ff e staccato sempre

a 2.
a 2.
in D.
a 2.
ff
a 2.
Muta in D.

a 2.
ff
a 2.
a 2.
a 2.
in D.
in Fis. H.A.B.
mf

a 2.
a 2.
a 2.
a 2.
ff
ff
(staccato)
staccato
staccato

a 2.
J
a 2.
a 2.
ff
a 2.
ff
in D.
a 2.
ff
in D.
ff

a 2.

Andante sostenuto. 𝅗𝅥 = ♩

fff

fff

a 2.

fff

fff

a 2.

fff

a 2.

fff

a 2.

fff

fff

fff

fff

tr tr tr tr tr

fff

p cresc. -

fff

fff

fff

fff

fff

fff

fff

K
a 2.
a 2.
espress.
(p) dolce
(p) dolce
Muta in F.
Muta in F.
a 2.
Muta in C.
Muta in C.
Rimuta in G. C.

con Sordino
con Sordino
(div.)
con Sordino
mf marcato
Vc. I.II.
Vc. III.

p dolce
smorzando
smorzando
mf espressivo
diminuendo
diminuendo
smorzando
diminuendo
diminuendo

(mf)cantabile
(mf)cantabile
mf
sempre con Sordino
pizz.
pp
pizz.
pp
Tutti.
pizz.
pp

pp
Muta in C.

arco
(p)
div.
arco
(p)
arco
(p)

L
Rallent.
in F.
(p) dolce
dimin.
poco rallentando
smorzando
poco rallentando
smorzando
poco rallentando
smorzando
Solo.
arco
(p)

a tempo
pp
(mf)
dolce espressivo
(p) dolce
(p) dolce
senza Sordino
senza Sordino
senza Sordino
Solo.
p dolce
div.
pizz.
(p)
Solo.
(mf) dolce espressivo
pizz.
(p)

cresc.
cresc.
Solo.
p
cresc.

Tempo I, Allegro mosso con brio.
a 2.
ff
a 2.
ff
ff
a 2.
ff
in F.
ff
in F.
ff
in C.
f
Tutti.
ff
Tutti.
ff
arco
ff
Tutti.
ff
arco
ff

a 2.
a 2.
M
sempre ff
sempre ff
(IV. ff)
f
in G. C. A. B.
tr
f
pizz.
ff
sempre ff
pizz.
ff
sempre ff
sempre ff

ff
ff
ff
arco
ff
arco
ff

pizz.
ff
pizz.
ff

a 2
ff
a 2.
a 2.
arco
ff
arco
ff

a 2.
a 2.
ff
fff
p
f

a 2.
N
Allegretto. (Tempo rubato.)
a 2.
Solo.
mf
espressivo
p
p
cresc.

p dolce
Solo
mf espressivo
p dolce
p dolce
dolce
pizz.
p
pizz.
p
pizz.
p
pizz.
p
pizz.
p

dolce
p
dolce
p
p
divisi

O ritardando - - - Allegro non troppo.
dimin.
smorzando
p
arco
(p) dolce con grazia
pizz.
(p) dolce espressivo

(p) espr.
(p) espressivo
crescendo
espressivo
crescendo
arco
pizz.
dolce
crescendo
p

allegramente
p
p
p
p
p
dimin.
pp

Un poco animato il tempo.
p
allegramente
p
pizz.
p
arco
pizz.
arco
p
arco
pizz.
arco
p
p

p
(II. p)

(p) dolce
p dolce
p
p dolce
p dolce
con grazia
p
p
arco

P A - - - - - - - - - - - - - - - - (- - - - - - - - - - -

(p)

poco a poco crescendo - - - - - - - - - -

poco a poco crescendo - - - - - - - - - -

poco a poco crescendo - - - - - - - - - -

poco a poco crescendo - - - - - - - - - -

poco a poco crescendo - - - - - - - - - -

p

pizz.

Allegro mosso con brio.
a 2.
ff
arco

f
(f)
ff

a 2.
6
6

a 2.
ff
ff
ff
ff
ff
ff

a 2.
Q
rinf.
rinf.
rinf.
rinf.

Allegretto. (Die Viertel wie früher die Halben.)
(♩ come 𝅗𝅥)

ff ff ff ff ff ff ff ff ff ff ff ff ff ff ff ff ff

a 2. a 2.

tr tr tr tr tr

divisi divisi

a 2
ff
mf
a 2.
staccato
mf brillante
divisi
pizz.

a 2
f
f
rinf.
rinf.
arco
arco
pizz.
pizz.
arco
pizz.

a 2.
R
a 2.
ff
f marcato
f
f
f
rinf.
rinf.
arco
arco
arco
rf
rf
ff
ff
ff
ff
ff

a 2.
a 2.
a 2.

a 2.
a 2.
a 2.
Allegro.
diminuendo
diminuendo
p
p
p
p
p
pizz.
p
mf
rf
dim.
pizz.
p
rf
dim.

p
dimin.
p
dimin.
p
dimin.
p
p
pizz.
p
p
dimin.
diminuendo
pizz.
p
dimin.
arco
p

Andante sostenuto. (Die Viertel wie früher die Halben.) (♩ come 𝅗𝅥)

S

p legato

p

(II. *p*)

p legato

(*p*)

Solo.

arco

pp tremolo

Viol. I. arco

pp tremolo

Viol. II.

arco

pp tremolo

arco

pp tremolo

pizz.

(*p*)

arco

pp

Poco a poco accelerando il tempo sin' al Allegro mosso con brio.
a 2.
sempre p
poco a poco crescendo e stringendo
Solo.
p
poco
divisi
mf marcato

a 2.

a 2.

a poco crescendo e stringendo

p poco a poco crescendo e stringendo

p poco a poco crescendo e stringendo

cresc.

(II. mf) più cre scen do

(mf) cresc.

più cresc.

mf

poco a poco crescendo

(mf) cresc.

p

T
Allegro mosso con brio.
a 2.
a 2.
a 2.
ff
p
sf

a 2.
a 2.
a 2.
fff
a 2.
marcato
rinf.
marcato
(fff)
sf
marcato

U
a 2.
a 2.
a 2.
ff
(ff)
(ff)

Stretto.
a 2.
a 2.
a 2.
tr
ff
ff
ff
ff
ff
ff
ff
ff
ff
ff

a 2.
a 2.
tr
(ff)
(ff)
ff
ff
ff
ff
ff
ff
ff
ff
ff
ff

a 2
a 2.

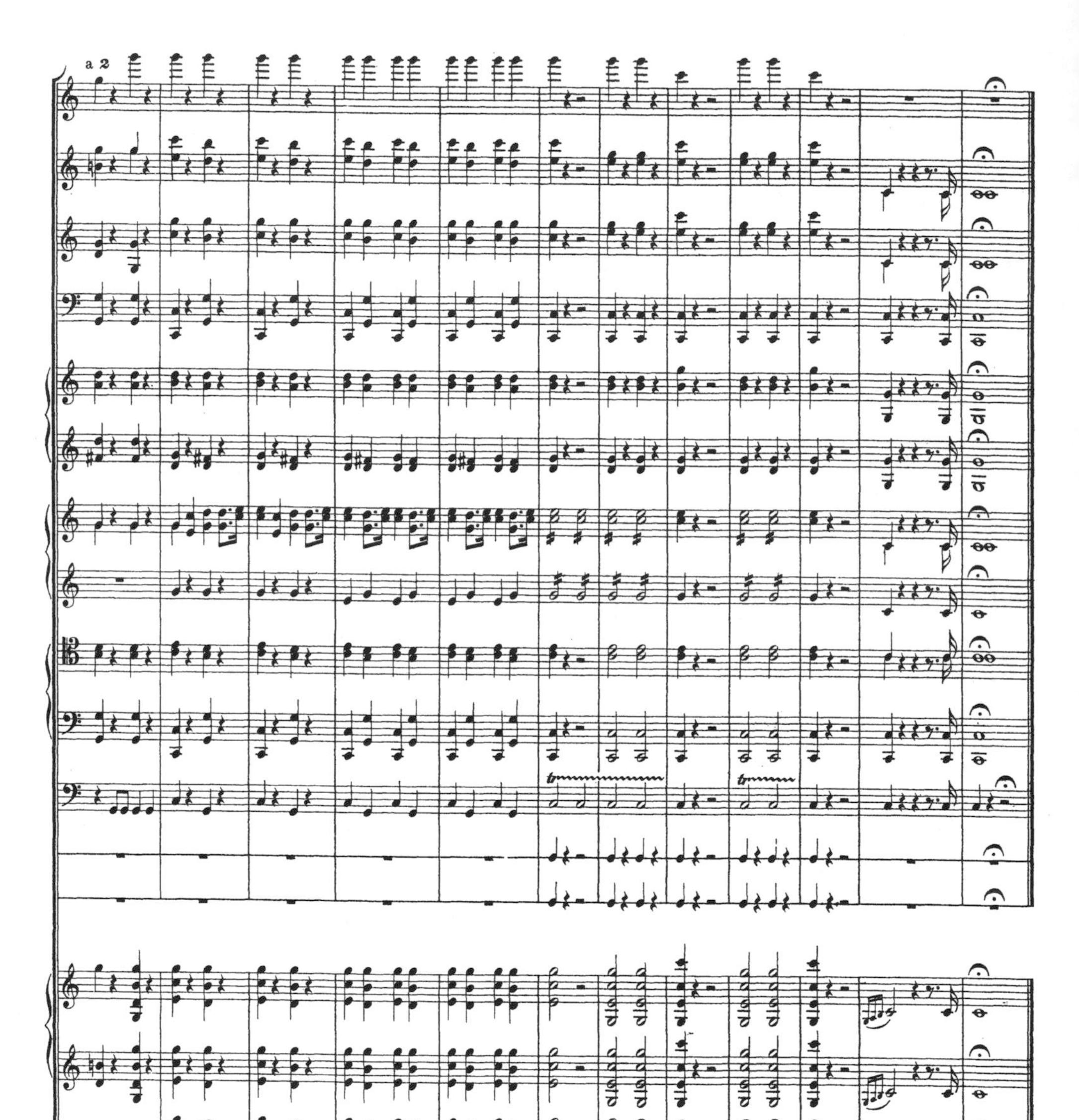
a 2
tr
tr

Variants

I

D Allegretto un poco mosso (Tempo di Polacca).
Komponiert 1861.
2 Flöten.
2 Hoboen.
2 Klarinetten in C.
2 Fagotte.
1. u. 2. Horn in G.
3. u. 4. Horn in G.
1. u. 2. Trompete in C.
3. Trompete in C.
2 Tenorposaunen.
Bassposaune u. Tuba.
Pauken in G. D.
Becken.
Grosse Trommel.
1. Violinen.
2. Violinen.
Bratschen.
Violoncelle.
Kontrabässe.
(mf) espressivo
pizz.

a 2.
(p)
(mf) espressivo
3
stacc. sempre
stacc. sempre
stacc. sempre
più p
più p
più p
pizz.

a 2
arco
p
dim.

riten.
E
a tempo
tr
dim. molto
pp
p
p
p dolce con grazia
p
(p) dolce espress.
pizz.
p tranquillo
pizz.
p

p espress.
p espress.
p
p
(p)
divisi
Tutti
p un poco marc.

Solo
p
dim.
p
dim.
pp
p
dim.
pp
p
p
p
dim.
pp
p
p
pp
p
p
pp

NB. In dem Rhythmus: die 32stel sehr schnell, fast wie Vorschläge, und die 16tel kurz abgestossen.

In the rhythm the demi-semiquavers very quick, almost like appogiaturas, and the semiquavers very staccato.

ten.
ten.
p
(p)
p
p
pizz.
(p)
marc.
mf

ten.
(II. p)
ten.
ten.
ten.
arco

ten.
ten.
ten.
ten.
grazioso
ten.
ten.

poco a poco crescendo molto
Solo
(p)
(p) un poco marc.
stacc.
(p)
p stacc.
p stacc.
pizz.
p

(mf)
(mf)
(mf)
(mf)
f
p
p
rinforzando
rinforzando
rinforzando
arco
rinforzando

NB. Bei dem Polonaisen-Rhythmus: ♪♬♩ überall die Achtel kurz abgestossen (insbesondere das erste) und die 16tel schnell und schmetternd.
In the Polonaise rhythm ♪♬♩ the quavers everywhere very staccato (especially the first) and the semiquavers quick and ringing.

f
(mf)
p
rinforzando

f
f sempre
f sempre
f sempre
f sempre
f sempre
p

f sempre
f sempre
f sempre
f sempre
f
sf
f
sf

F
p
ff
p
ff

a 2.
(ff)
a 2.
(ff)
(ff)
(ff)
rinforzando molto
rinforzando molto
rinforzando molto
rinforzando molto

Hierauf weiter Seite 35 der Partitur: Allegretto, ohne Tempowechsel.
From here to page 35 of the score: Allegretto, without change of time.

II

2 Flöten.
2 Hoboen.
2 Klarinetten in C.
2 Fagotte.
1. u. 2. Horn in G.
3. u. 4. Horn in G.
1. u. 2. Trompete in C.
3. Trompete in C.
2 Tenorposaunen.
Bassposaune u. Tuba.
4 Pauken in G. C. A. B.
Becken.
Grosse Trommel.
1. Violinen.
2. Violinen.
Bratschen.
Violoncelle.
Kontrabässe.
(ff)
a 2.
sempre ff
(sempre ff)

Hierauf weiter Seite 87 der Partitur, Takt 5.
From here to page 87 of the score, bar 5.

III

N
Allegretto un poco mosso (Tempo di Polacca).
2 Flöten.
2 Hoboen.
2 Klarinetten in C.
2 Fagotte.
1. u. 2. Horn in F.
3. u. 4. Horn in F.
1. u. 2. Trompete in C.
3. Trompete in C.
2 Tenorposaunen.
Bassposaune u. Tuba.
Pauken in G. C.
Becken.
Grosse Trommel.
1. Violinen.
2. Violinen.
Bratschen.
Violoncelle.
Kontrabässe.
Solo
(mf) espressivo
p
stacc. sempre

(p)
Solo
p espressivo
sf
p
pizz.
p
p

Zwei Violinen allein, die übrigen tacent.
Two violins soli, the rest tacent.

rallent.
O
tr
dim. molto
pp
p
Solo
p
(Tutti)
p dolce con grazia
(p) dolce espressivo
pizz.
(p) tranquillo
(p) dolce espressivo
(p)

p
p
p

arco
pizz.
p

Solo
p
pp
pp
p
dim.
perdendo
pp
dim.
pp

ten.
p
p
p
legg.
p
p
p
marc.
mf
pizz.
p

ten.
marc.

ten.
ten.
ten.
ten.
arco

ten.
ten.
ten.

P
p
cresc. molto
p
cresc. molto
Solo
p
cresc. molto
p
cresc. molto
p stacc.
cresc. molto
p stacc.
cresc. molto
pizz.
p

(mf)
(mf)
(mf)
(mf)
f
(p)
f
(p)
p
p
rinforzando
rinforzando
rinforzando
arco
rinforzando

f
f
f
f
f
f
p
p
ff
ff
ff
f
f

(mf)
f
p

(mf)
f
p

Q
f
p
ff

Hierauf weiter Seite 82 der Partitur: *Allegretto*, ohne Tempowechsel.
From here to page 82 of the score: Allegretto, *without change of time.*

IV

2 Flöten.
2 Hoboen.
2 Klarinetten in C.
2 Fagotte.
1. u. 2. Horn in F.
3. u. 4. Horn in F.
1. u. 2. Trompete in C.
3. Trompete in C.
2 Tenorposaunen.
Bassposaune u. Tuba.
4 Pauken in G.C.A.B.
Becken.
Grosse Trommel.
1. Violinen.
2. Violinen.
Bratschen.
Violoncelle.
Kontrabässe.
a 2.
a 2.
a 2.
a 2.
a 2.

Hierauf weiter Seite 93 der Partitur, Takt 2, *fff.*
From here to page 93 of the score, bar 2, fff.